시원찮은 그녀를 위한 육성방법
^{히로인}

미사키 쿠레히토 화집 상

Flat.

Based on character design by Kurehito Misaki,
Based on story by Fumiaki Maruto.

Section.1

소설
Novel

Saenai heroine no sodate-kata.
Misaki kurehito gashu jo Flat.

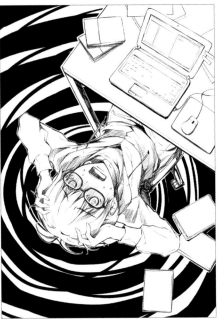

Z Z Z

동인 게임 기획서(제1판) 2012/07

■ 타이틀 : 윤리 군의, 윤리 군에 ○

장르 : ADV

전형적인 커맨드 선택

애&전생&과

해 히로인

기억

하게 그

거의 혼

한다

로서

통

항고   당했다

을 담당

친혼을

탁

모)

족어

수장

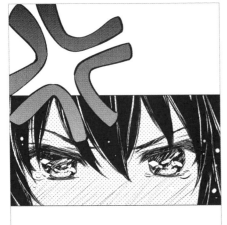

제40회 판타스틱
사랑에 빠진 메트로놈
카스미 우타코 선
사인회

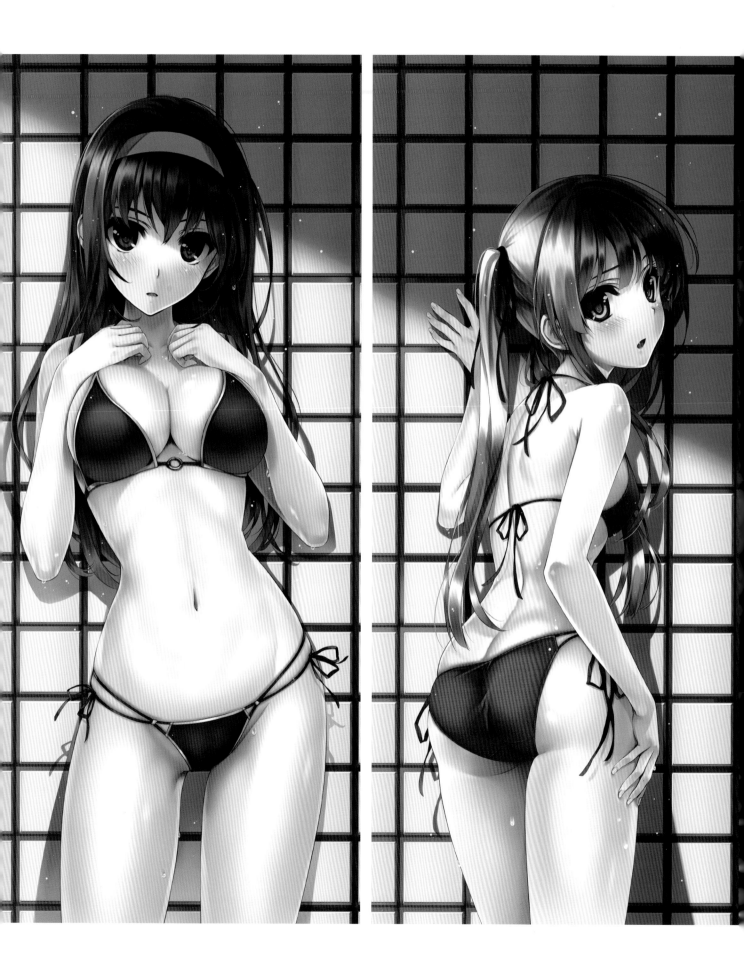

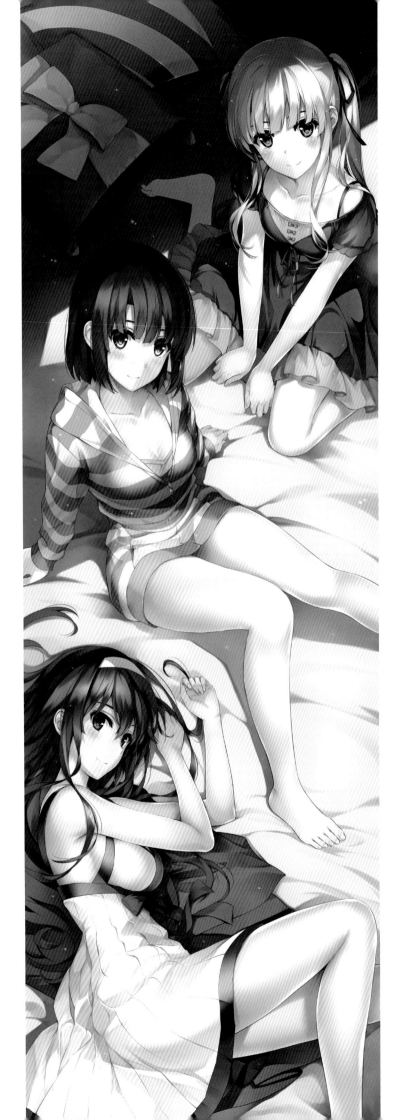

Section.2

애니메이션

Animation

Saenai heroine no sodate-kata.
Misaki kurehito gashu jo Flat.

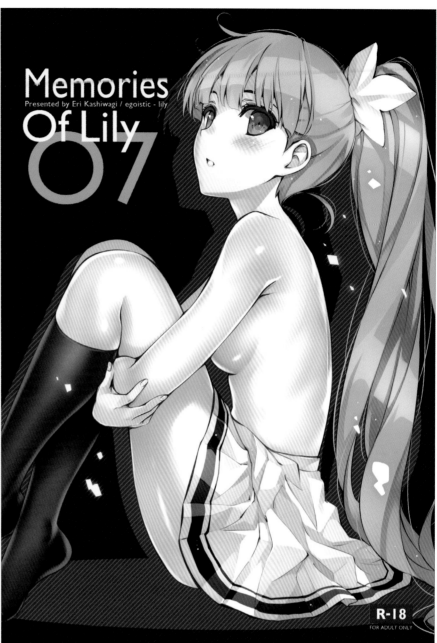

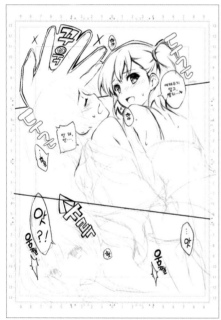

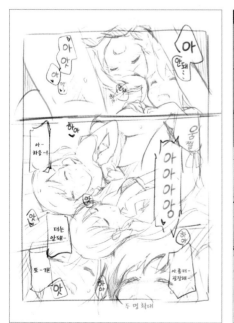

사랑에 빠진 메트로놈2

카스미 우타코

일러스트 마츠바라 호즈미

Ｆ 판타스틱 문고

사랑에 빠진 메트로놈

카스미 우타코

일러스트 마츠바라 호즈미

Ｆ 판타스틱 문고

하시마 이즈미에게
절대 안 져! 이기는 건 나야 !!!
사와무라 스펜서 에리리

하시마 이즈미 님께
앞으로도 힘내세요
카시와기 에리

Section.3

그 외
Etcetera

Saenai heroine no sodate-kata.
Misaki kurehito gashu jo Flat.

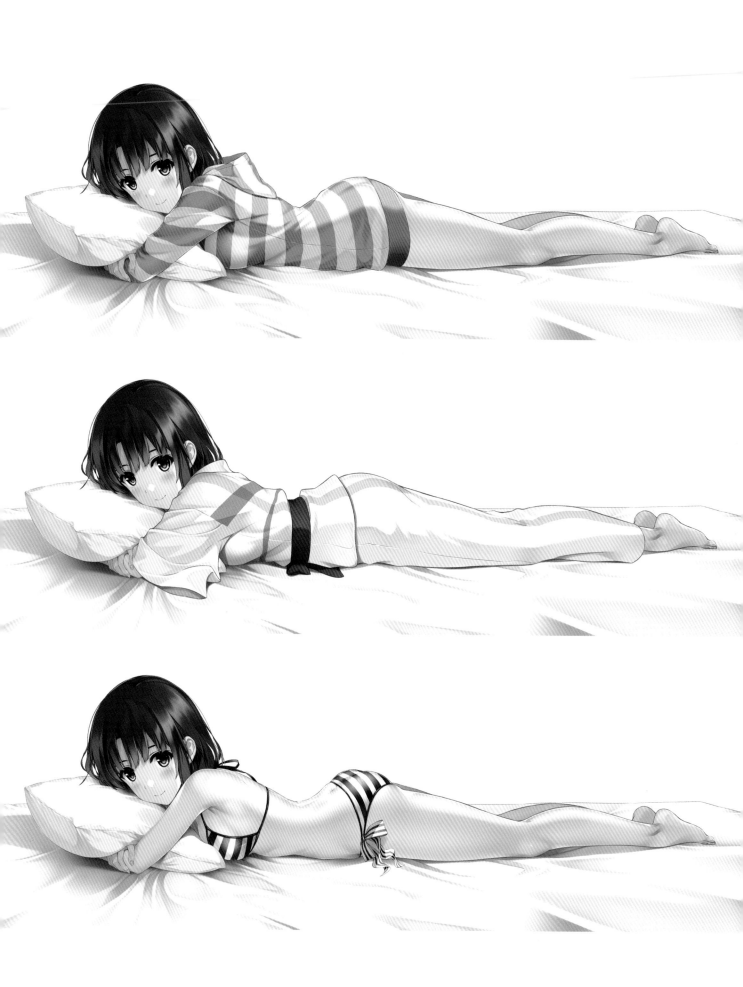

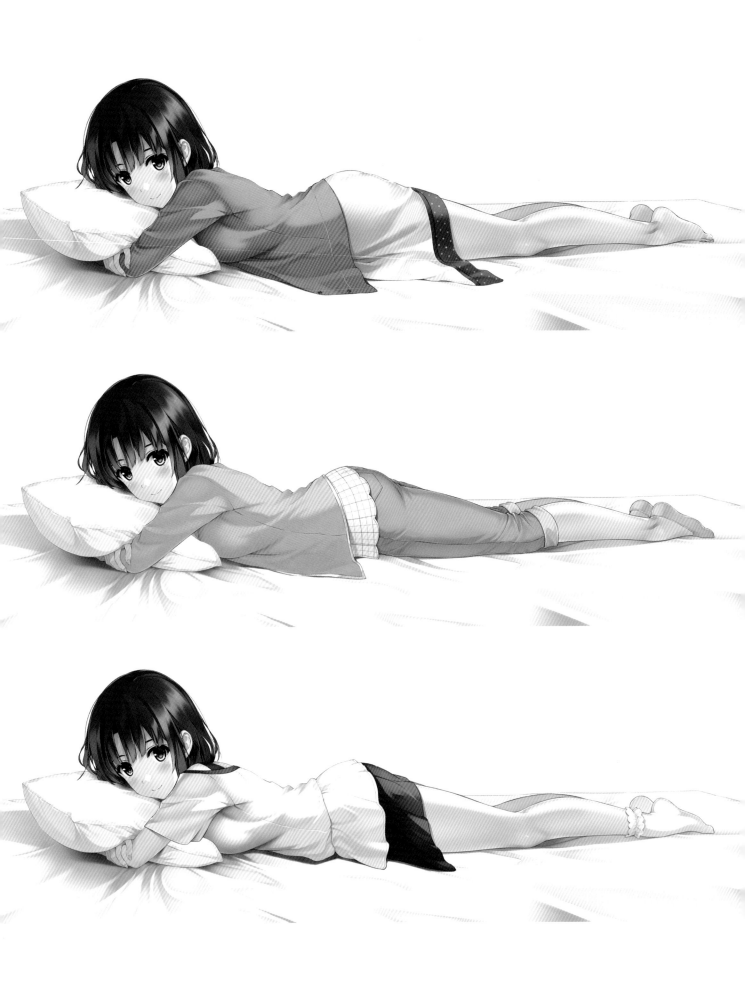

시원찮은 그녀를 위한 육성방법
미사키 쿠레히토 화집 상

Flat.

초판 1쇄 발행 2022년 4월 20일

저자_ Kurehito Misaki
원작_ Fumiaki Maruto
옮긴이_ 이승원

발행인_ 신현호
편집장_ 김승신
편집진행_ 권세라 · 최혁수 · 김경민 · 최정민
편집디자인_ 양우연
관리 영업_ 김민원

펴낸곳_ (주)디앤씨미디어
등록_ 2002년 4월 25일 제20-260호
주소_ 서울시 구로구 디지털로 26길 111 JNK 디지털타워 503호
전화_ 02-333-2513(대표)
팩시밀리_ 02-333-2514
이메일_ lnovellove@naver.com
홈페이지_ http://cafe.naver.com/lnovel11

SAENAI HEROIN NO SODATEKATA MISAKI KUREHITO GASHU (JO) Flat.
©M.M.KF/PSF
©2015 MAGES./5pd
©Kurehito Misaki, Fumiaki Maruto 2021
First published in Japan in 2021 by KADOKAWA CORPORATION, Tokyo.
Korean translation rights arranged with KADOKAWA CORPORATION, Tokyo.

ISBN 979-11-278-6415-6 07830
ISBN 979-11-278-6414-9 (세트)

값 42,000원